VIVRE AVEC LES

Volcans

Textes et photos
Pierre & Eliane
DUBOIS

LES CRÉATIONS DU PÉLICAN

Sommaire

© 2004 Les Créations du Pélican / Edipresse - ISBN : 2 7191 0727 1 - Dépôt légal : 4ᵉ trimestre 2004
Siège social : 25, rue Ginoux - 75737 Paris cedex 15 - Téléphone : 01 45 77 08 05 - Télécopie : 01 45 79 97 15
Direction éditoriale : Jean-Michel Renault - 826, av. du Pʳ Émile-Jeanbrau - 34090 Montpellier
Téléphone : 04 67 02 66 02 - Télécopie : 04 67 02 66 01 - Courriel : pelican-manufacture@wanadoo.fr
Maquette et mise en page PAO : Pat à Pan créations - Gravure : Photogravure du Pays d'Oc - Montpellier
Tous droits de traduction et d'adaptation réservés pour tous pays.

Pierre et Eliane Dubois.

Pierre Dubois, Suisse né à Genève, est membre de la Société des Explorateurs, de la Société Suisse des Américanistes et de la Société de Géographie de Genève.

Explorateur, ethnologue, cinéaste, conférencier, auteur, ce passionné d'aventure et d'exploration chevronné des régions difficiles d'accès, sillonne le monde depuis 30 ans à la recherche des beautés naturelles de notre terre et des peuples ayant une identité culturelle spécifique.

Il débute en Afghanistan, en Iran et en Turquie, avant de réaliser son premier long-métrage en Amazonie lors d'une expédition de 13 mois en solitaire auprès des Amérindiens. Il choisit dès lors de poursuivre dans la voie de l'indigénisme, du grand reportage et du film documentaire. Il se préoccupe aussi de la déforestation, de l'environnement, de la fragilité du biotope, de ces oubliés du temps que sont les minorités ethniques à qui l'on doit respect et admiration.

On le voit en Indonésie dans le détroit de la Sonde, sur le volcan Krakatau, dans tout le bassin amazonien, au Brésil, en Guyane, au Surinam, au Venezuela, au Pérou et en Equateur, mais également en Afrique sur les volcans du Kilimandjaro, du Ol Doinyo Langaï avec les Massaïs et au mont Kenya, au Ruwenzori dans le haut Nil, au Soudan avec les Noubas de Kau, dans le désert de Turkana, dans les jungles malaises jusque sur la mer de Chine. Il parcourt aussi le Pacifique, les Galapagos et Hawaii où il gravit le plus haut volcan du monde. Il escalade la cordillère des Andes, descend en raft les canyons de l'Apurimac, le fleuve Amazone, des sources à l'embouchure. Il noue des premiers contacts avec les Indiens sur le Cassiquaré, entre l'Amazone et l'Orénoque. Il revit les aventures de Crévaux, Fauwcett et Maufrais sur les Monts Tumuc-Humac.

Avec son dernier film DES VOLCANS ET DES HOMMES, une nouvelle page s'ouvre pour cet aventurier que rien n'arrête : approcher, observer, survoler les montagnes de feu de notre planète. Expression vivante et spectaculaire de l'origine de la vie, 25 volcans lui ont ouvert la connaissance du milieu. Un défi audacieux.

En expédition, Pierre Dubois fait équipe avec sa femme Eliane qui collabore à la réalisation de ses aventures passionnelles. Ensemble, ils témoignent à travers leurs films, leurs livres et leurs reportages photographiques, de leurs rencontres avec des hommes, des cultures, des univers, différents.

Eliane aux Galápagos,
leurs filles Carole et Fanny sur les pentes du Stromboli.

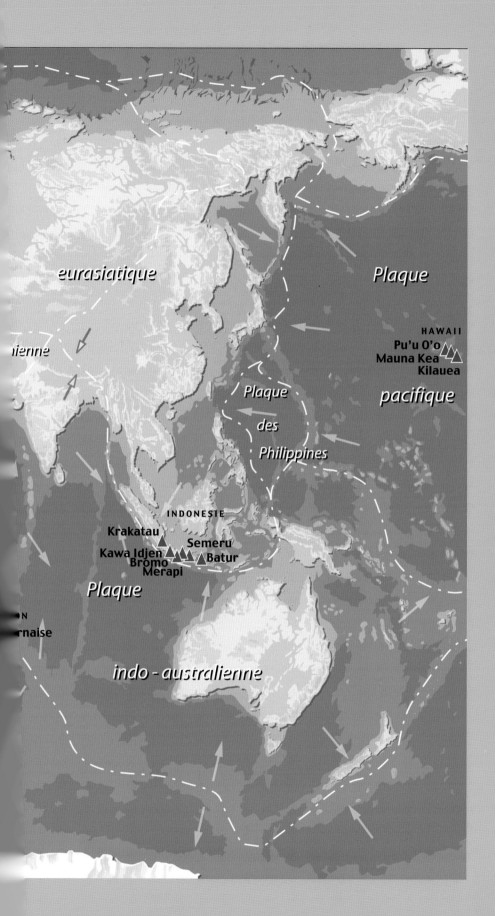

eurasiatique

Plaque

HAWAII
Pu'u O'o
Mauna Kea
Kilauea

Plaque

des

Philippines

pacifique

INDONESIE

Krakatau

Semeru

Kawa Idjen
Bromo
Merapi

Batur

Plaque

indo - australienne

Qui n'a jamais rêvé de voir exploser le sang de la terre : des fontaines de lave rouge et or ou des bombes de roches qui jaillissent dans d'immenses panaches de cendres noires montant jusqu'au ciel. Evénements naturels grandioses, mystérieux, impressionnants toujours, terrifiants parfois !

La terre est belle et Pierre Dubois la parcourt depuis toujours pour aller à la découverte des premiers habitants. Alors, quoi de plus normal, après avoir arpenté les jungles amazoniennes, les glaces du Groenland, les sables des déserts, que d'aller à la rencontre des montagnes de feu de notre planète, véritables racines de la création, pour écouter leurs vibrations.

Pour célébrer ce monde merveilleux des volcans, un hymne à la nature qu'il faut plus que jamais protéger, il a côtoyé les cratères dans des régions aussi diverses que l'Indonésie, la Tanzanie, l'ex-Zaïre, l'île de la Réunion, le Guatemala, l'Italie, le Mexique, Hawaii, l'Equateur et le Brésil, guettant les éruptions des grands volcans actifs de la planète pour voir la Terre s'animer sous ses yeux et assister en direct à cette féerie de la nature.

Il en a rapporté des images somptueuses de croûte terrestre qui se casse, de cônes qui grondent, de cratères qui crachent, de lave qui jaillit, de déserts minéraux, de vapeurs de soufre, de panaches de cendres, d'hommes qui vénèrent le feu, de volcans considérés comme des dieux. Des images captées à travers les continents, au cœur des grandes convulsions naturelles, lors d'un long voyage initiatique dans des paysages grandioses qui émerveilleront tous ceux qui sont fascinés par le spectacle que la Terre nous offre, avec déchaînement parfois, avec beauté toujours.

TANZANIE
Ol Doinyo Lengaï
(2 890 m)

Pour sonder l'âme africaine, rien n'égale les immensités de la Rift Valley, une fracture tectonique de plusieurs milliers de kilomètres. Ce chaos balafre la Tanzanie, le fascinant pays massaï où débute notre safari volcanique.

Nous installons le campement dans un village de huttes rudimentaires aux relents de bouse, enduit naturel pour l'étanchéité. Tout autour, s'étire une plaine rocailleuse où s'accrochent arbustes et broussailles. Au-dessus de nous, dans un capuchon nuageux, se dresse le cône presque parfait du volcan Ol Doinyo Lengaï vieux de 20 millions d'années. Voilà donc la montagne sacrée des Kisongos, un groupe massaï de pasteurs. Ce sont leurs rituels étroitement liés à cette "montagne des dieux" qui nous ont amenés dans cette région perdue. Et bien sûr, la hâte de voir de nos propres yeux les crachats de lave blanche de ce volcan étrange.

Une tradition vivace chez les hommes aux toges pourpres, concerne l'initiation des adolescents appelés "Moranes". Les jeunes garçons, parés de colliers et bijoux pectoraux colorés vont subir d'importants rituels destinés à marquer leur passage dans la vie adulte. La circoncision tout d'abord, qui met un terme à l'enfance, bientôt suivie de l'ouverture du lobe de l'oreille afin d'y insérer d'impressionnants labrets de sept centimètres de diamètre. Ces nouveaux adultes pourront alors accéder aux secrets de Ol Doinyo Lengaï qu'ils escaladeront pour s'y purifier de lave. Pour se rapprocher de Engaï, leur divinité qui veille sur la tribu depuis des millénaires. Ces nouveaux initiés nous guideront sur le volcan.

Dans notre vieille Land tout terrain nous dévorons des pistes de sable, dans tous les sens du terme d'ailleurs, la poussière s'infiltrant dans les moindres interstices de la cabine. Après ce trajet cahoteux qui nous a secoués comme des pruniers, nous voilà au pied de pentes pelées, griffées par les eaux de ruissellement. Impatients de monter, nous observons ce "dieu massaï" patiemment sculpté par l'érosion qui a créé cette muraille de dentelle de lave blanche.

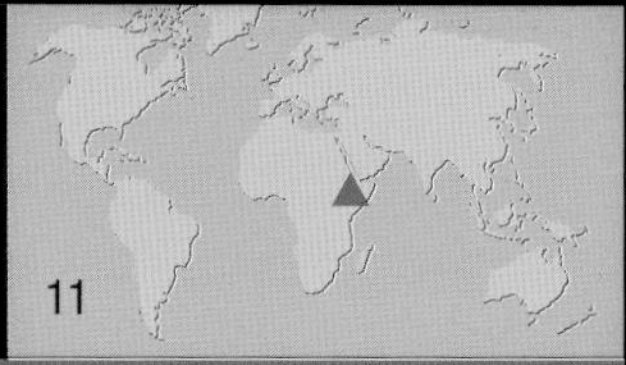
11

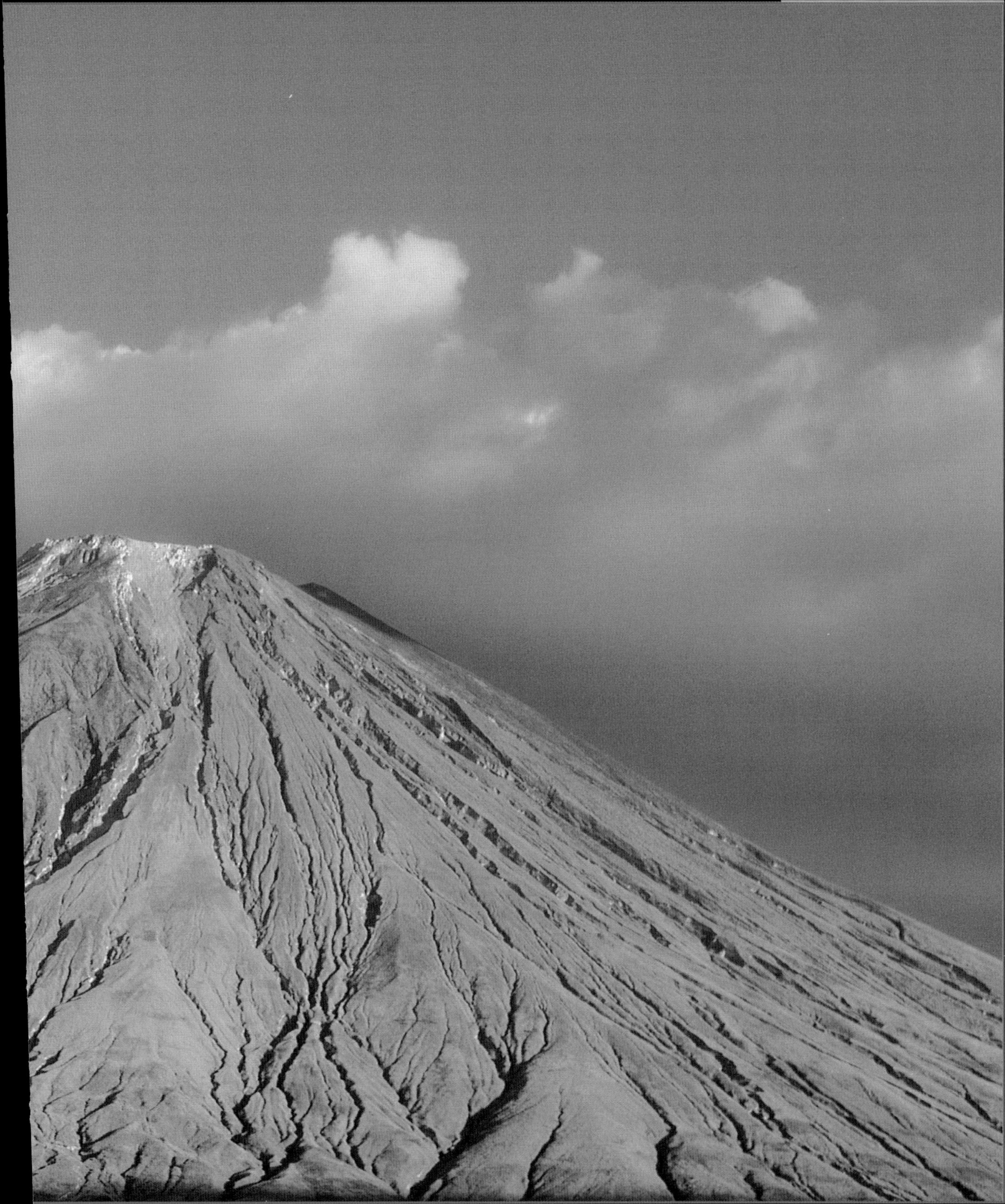

La nuit est à peine troublée par la complainte du vent. Pendant six heures, nous escaladons le Lengaï derrière le guide Kisongo qui se déplace avec agilité sur ce terrain très instable. Le parcours est difficile, jonché de roches volcaniques qui nous criblent de poussière blanchâtre. Les derniers mètres se franchissent sur de la lave blanche encore chaude, particularité unique de ce volcan africain, le seul au monde à émettre de la carbonatite, une lave noire et fluide qui blanchit en se refroidissant au contact de l'air.

Enfin, alors que la fraîcheur de l'aube dilue les derniers lambeaux de la nuit, nous touchons le cœur de ce monde lunaire forgé d'étranges cheminées de lave durcie. Moulus par l'ascension, nous savourons d'autant plus la sérénité des lieux au lever du jour. Le décor est époustouflant, nimbé de gaz qu'exhale ce plateau éruptif que nous foulons émerveillés. De chaudes coulées de carbonatites, éjectées du cône, glissent lentement, puis, telles un ruisseau tranquille aux couleurs sanguines, s'avancent dans des toboggans de lave durcie. Peu à peu, leurs teintes s'amenuisent à l'air libre pour se métamorphoser en lave blanche. Serait-ce une des magies du volcan sacré Ol Doinyo Lengaï ?

13

A proximité du volcan Ol Doinyo Lengaï, source de vie qui gouverne les hommes et la nature, s'étire le lac Natron, véritable mer de sel. Un or blanc qui provient des roches volcaniques très riches en sodium que les pluies ont transporté au lac où la chaleur implacable du désert l'a transformé en croûtes de sel.

Dès l'aurore, alors qu'un guépard file non loin de nous derrière une proie, nous assistons à la récolte des plaques de sel, un labeur dévolu aux femmes massaï.

Belles, sveltes et sauvages, drapées de tissus aux couleurs éclatantes, le crâne rasé juste orné de lourdes boucles d'oreille en perles rouges, bleues, noires et blanches, elles pourfendent de leurs longues machettes les plaques de sel, dans un rythme syncopé. Cassées en deux, jambes tendues, elles semblent perpétuer ces mêmes gestes depuis la nuit des temps. Inlassablement, leurs pieds nus épatés brassent les grains de sel qui s'effritent sous la chaleur. La tâche accomplie, la précieuse denrée est transportée à dos d'âne jusqu'au village. Dans cette région désertique, ce sel est un don du ciel.

15

Les Massaï forment un peuple hors du commun, dont la culture se fonde sur le mépris de la douleur, la maîtrise du corps et de l'âme, le contrôle de ses instincts et un courage rare pour affronter les animaux sauvages de la savane africaine. Ces hommes beaux et fiers ne cessent de nous surprendre.

Ainsi, au pied du volcan dont on ressent constamment la présence physique et spirituelle, allons-nous assister à un sacrifice animal, à des danses et des chants tous destinés à célébrer le retour des guerriers. Les Moranes, récemment circoncis et ayant honoré leur dieu Engaï au sommet de la montagne de feu, se préparent aux festivités qui parachèveront leur entrée dans le monde des adultes. Des cérémonies initiatiques dont les femmes sont exclues.

C'est aux jeunes qu'incombe le grand honneur de sacrifier une vache en hommage à leur volcan Ol Doinyo Lengaï, pour se concilier les pouvoirs divins. Selon leur croyance, en tuant l'animal, matérialisation de la divinité, les Massaïs donnent une âme à la Création. Suivant un protocole ancestral, les Moranes boivent le sang frais de l'animal sacrifié afin de reconstituer leurs forces.

Le festin qui suit constitue un événement dans la vie de ces hommes qui ne se nourrissent, en saison sèche, que de lait et de sang. Au cours de la fête qui clôt les étapes primordiales de leur vie d'enfant à celle d'adulte, les Moranes se mettent à sauter sur place, une façon symbolique de se rapprocher de leur divinité volcanique.

Ces jeunes Moranes nouvellement initiés, comme en témoignent leurs toges noires, leurs bâtons de pasteur et leurs oreilles percées d'impressionnants labrets, semblent se fondre et se confondre avec leur volcan vénéré.

Comme la blanche lave recouvre les lèvres sommitales du Ol Doinyo Lengaï, de la peinture crayeuse blanche maquille leurs doux visages lisses. Des motifs très précis sur le front, les joues et les pommettes, donnent au jeune homme une force indéniable qui le sacralise au même titre que la singulière couronne de plumes d'autruches qui orne sa tête.

Cette gestuelle parfaitement conservée à l'aube du XXIe siècle, démontre à quel point les Massaïs restent un peuple fier, enraciné dans ses valeurs ancestrales et qui repousse aisément la confrontation avec la civilisation moderne.

Rompus de fatigue mais exaltés par les heures passées à explorer le cœur du volcan-dieu, à l'écouter gronder et rugir et le voir cracher ses coulées de carbonatites, assister à cette scène où l'homme agit en osmose avec les éléments nous fait encore plus vibrer. Le grand Rift africain nous a totalement ensorcelés.

TANZANIE
N'Gorongoro (2 286 m)

Nous voici au sommet d'une vaste dépression parfaitement circulaire, le cratère du N'Gorongoro de 16 kilomètres de diamètre. Cette caldeira tout à fait unique, née de l'explosion d'une cheminée volcanique obturée par les laves, constitue un fantastique paradis naturel pour la faune africaine.

Par une piste très raide où s'agrippent euphorbes candélabres et eucalyptus, nous allons dans cet amphithéâtre nous mêler au ballet de la nature régi par les lois les plus immuables : naître, vivre, se reproduire et mourir.

Dans ce cirque volcanique, un monde clos refermé sur lui-même par des parois hautes de 610 m, nous assistons à l'accouplement d'un lion et d'une lionne. A quelques mètres de cette scène inédite, d'autres fauves aux belles crinières attendent, tapis dans les hautes herbes, de connaître eux aussi une telle lune de miel…

hinocéros solitaire charge
ce qui bouge. Là, zèbres et
se rassemblent comme
migrer vers d'autres cieux.
les éléphants, grands sei-
de la savane, avancent
es, sûrs de leur supréma-
s la chaleur désormais
le petit lac Magadi est
saut par une famille d'hip-
es en quête de fraîcheur.

sur le toit du 4x4, entourés
rs d'animaux, nous faisons
d'images, éblouis par ce
sauvage. Au fond de cet
volcan, que ces instants
s et bons !

ex-ZAIRE
Nyiragongo (3469 m)

En foulant ce volcan sous haute tension, nous pensons à Haroun Tazieff qui devint chasseur de volcans après avoir découvert ici même les phénomènes telluriques exceptionnels du Nyiragongo. Il surplombe le pays des gorilles dans l'ex-Zaïre et se révèle un site plein de contrastes. A sa base, entourée de champs fertiles, la population fait pousser des pyrèthres, des fleurs qui, une fois séchées, fournissent de la poudre insecticide. A son sommet, l'ambiance est tout autre. Dans un décor hallucinant où la terre ne cesse de rugir, le volcan dévoile son lac de lave rouge aux prodigieux tourbillons. De gigantesques vagues de feu se déversent sur d'anciennes couches solidifiées. Des bulles de lave, gonflées par les gaz, explosent de partout. Le spectacle auquel nous assistons aux limites de ce chaudron du diable, est tout simplement sublime.

Michel VAUCHER

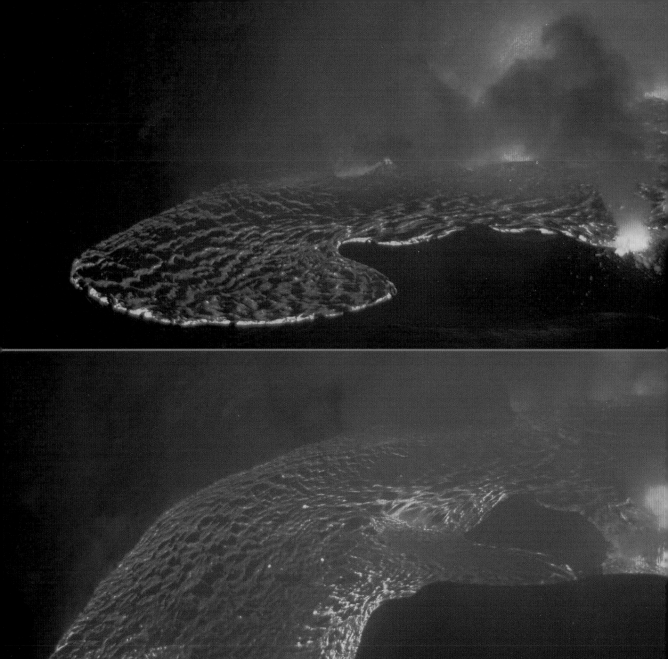
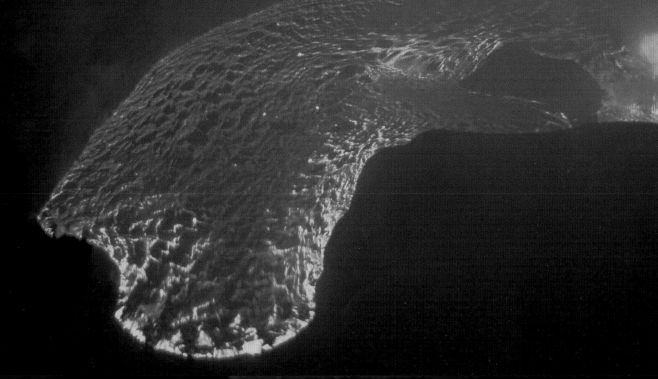

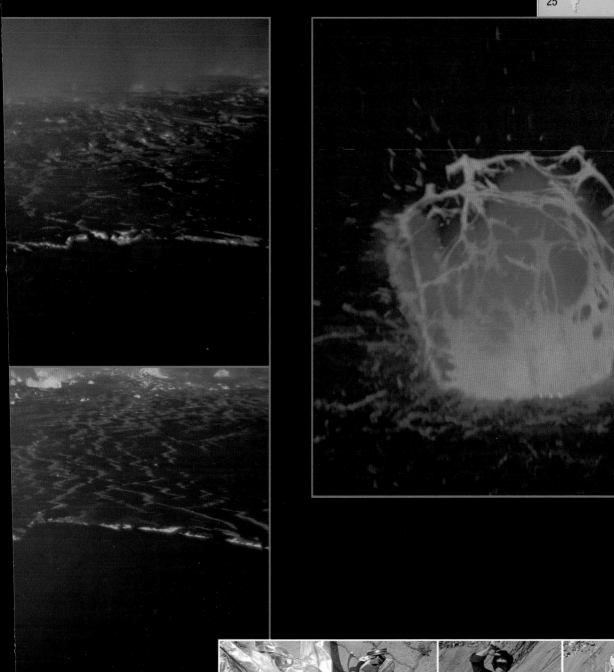

Michel VAUCHER

BRÉSIL / ARGENTINE
Chutes d'Iguaçu

Après les images dantesques du Nyiragongo, nous poursuivons notre odyssée en Amérique du Sud avec pour première escale, les spectaculaires chutes d'Iguaçu arc-boutées sur le Brésil et l'Argentine. Après le monde du feu, celui de l'eau qui se manifeste ici sous forme de cascades en escalier qui abriteraient, selon une légende locale, la maison du "Dieu Serpent" jadis vénéré des Indiens Caisangues.

Ce paysage superbe qui se déploie sous nos yeux naquit voici quelque 130 millions d'années après une éruption volcanique qui libéra d'incroyables quantités de lave fluide. En se refroidissant, celle-ci se superposa, se figea puis se fissura, créant de gigantesques colonnes brunes, les fameuses orgues basaltiques. Un phénomène géologique étonnant qui façonna un décor époustouflant, certainement un des plus beaux du Brésil, sanctuaire privilégié des toucans et perroquets multicolores. C'est du reste dans ce site unique que fut tourné le film "Mission" qui relatait l'épopée des Jésuites espagnols venus établir des missions au cœur de l'Amérique du Sud.

Difficile d'imaginer, en survolant les chutes d'Iguaçu, qu'un phénomène volcanique ait pu en être l'origine et pourtant…

EQUATEUR
Cotopaxi (5911 m)

L'Equateur devait faire partie de notre odyssée. Car ce petit pays est une vaste chaîne montagneuse formée d'une trentaine de volcans dont certains pointent à plus de 5 000 mètres. Au cœur de l'"Avenue des Volcans" se situe Quito, la capitale posée à 2 880 mètres d'altitude, notre point de départ pour découvrir les colosses équatoriens. C'est d'un bus bringuebalant, le meilleur transport en fait pour se frotter à la vie locale, que nous apercevons pour la première fois le Cotopaxi dont les neiges éternelles scintillent sous les ardents rayons du soleil. La route tortueuse se faufile en contrebas des flancs abrupts de cette splendeur aux glaciers suspendus. Mais que l'on ne s'y méprenne pas. Le Cotopaxi, toujours en activité, constitue une menace latente pour les populations de la vallée.

Equateur
Cotopaxi (5911 m)

La neige n'a pas cessé de tomber en abondance. A 23 h, dans le froid glacial et le brouillard, nous quittons le refuge avec un guide équatorien qui nous fait la trace. Juste éclairés par nos lampes frontales, de la neige jusqu'aux genoux, on en bave dans cette montée terriblement raide et glissante, sans compter sur un mal de tête persistant dû à l'altitude. Le Cotopaxi se mérite, on en prend conscience dans le silence épais de cette nuit qui s'annonce longue et horriblement difficile.

L'altimètre indique 5 400 mètres. Comment avancer dans de telles conditions ? L'inquiétude nous gagne. Seuls un instinct et une sorte de rage à vouloir parvenir au sommet nous donnent l'énergie d'enclencher un pas après l'autre. Mais il faut se rendre à l'évidence. La neige de plus en plus drue bouche toute option vers la cime, elle nous arrive maintenant à la taille. La décision est prise, nous devons retourner au camp de base.

La déception est totale. Nous ne marcherons pas au bord des deux cratères emboîtés. Nous ne verrons pas les fumerolles qui s'en dégagent et témoignent de l'activité du Cotopaxi. Sa grande menace provient des dépôts de lahars, ces coulées de boue, de neige et de roches qui ont déjà semé la mort dans la région. Malgré cela, la vie continue tout en bas, dans les plaines agricoles de Los Chillos et de Latacunga.

Les volcans géants demandent un certain état d'âme. Ici, il faut payer de sa personne. Domaine de l'esprit, du mental, qui prévaut pour celui qui accède au-delà d'une certaine altitude.

EQUATEUR
Chimborazo (6310 m)

Après des jours de météo catastrophique, nous ne laissons pas filer la clarté miraculeuse qui se profile enfin pour survoler ce mastodonte de 6 310 mètres. Point culminant de l'Equateur, son sommet représente également le point le plus éloigné du centre de la Terre.

Avec ses trois dômes de différentes grandeurs, il n'a rien du parfait cône volcanique mais fait néanmoins partie des merveilles de notre planète. Les yeux n'en finissent pas de se régaler de la vue de ses glaciers suspendus.

Aux XVIIIe et XIXe siècles, le Chimborazo impressionna grandement savants et explorateurs, en particulier Humboldt qui arriva ici en 1798, puis le célèbre alpiniste britannique Whymper dont on donna le nom au 2e refuge, à 5 000 m.

EQUATEUR
Tungurahua (5023 m)

Bien que l'épaisse couche végétale ait disparu sous les millions de tonnes de lave éjectée du cratère, les volcans apportent aussi la vie et les éruptions ne sont pas uniquement des phénomènes de destruction. La preuve ? Au pied du Tungurahua, le sol recouvert de cendre est si fertile que les Andins y font pousser pommes de terre, maïs et ail et parviennent à faire deux à trois récoltes par an.

Le Tungurahua, pourtant très dangereux, peut donc se montrer un volcan nourricier. Car pour les paysans qui s'arriment sur ses pans, les cendres, riches en sels minéraux, constituent un formidable engrais naturel, un vrai don tombé du ciel. Cela ne les empêche pas de le craindre. Ce risque fait partie de leur vie de tous les jours.

Pour mieux cerner le phénomène dévastateur des volcans couverts de glaciers, nous nous sommes rendus sur les lieux d'une récente éruption. Le paysage qui se dévoile est carrément lugubre. La neige fondue mêlée à la boue cendrée a dévalé les pentes à toute allure en une coulée pyroclastique qui a tout emporté sur son passage, routes, ponts, cultures et végétations.

Dans ce site austère de cataclysmes récurrents, seuls sur les hauteurs, planent en maîtres absolus le vautour royal et l'aigle majestueux dont nous suivons les évolutions silencieuses. N'oublions pas que les volcans équatoriens culminent entre 4 000 et 6 000 mètres d'altitude. Des hauteurs idéales pour ces grands voiliers de l'éther.

Le Tungurahua se réveille. Depuis quelques jours, le volcan au cône légèrement cassé par d'innombrables éruptions vomit sans relâche d'énormes panaches de cendres gris foncé qui s'étirent sur plusieurs kilomètres. Excités par ce phénomène nous demandons au pilote de s'approcher mais rien à faire, le danger est trop grand, il veut garder une distance de sécurité. Surtout, il faut éviter d'être pris dans les panaches épais de cendres volatiles. Nous effectuons donc des cercles, juste à la limite du possible pour notre petit coucou équipé pour voler à 6 000 mètres d'altitude. Hublot ouvert, harnachés dans des vestes chaudes, le visage écrasé derrière nos masques à oxygène, nous ne ratons pas une miette de ce spectacle inoubliable.

Un coup d'aile à droite puis à gauche et nous descendons pour mieux cerner le volcan dont la partie inférieure est nappée de jardins étagés. La vie en bas, l'enfer au sommet. L'activité sismique du Tungurahua fait régulièrement pleuvoir sur Banos et ses 30 000 habitants ses déjections de cendres.

Ce survol nous procure d'autres joies inespérées. A basse altitude au-dessus de la vallée, nous suivons les ablutions joyeuses de la population qui se baigne dans des sources d'eau chaude alimentées par le volcan. Un moment de bonheur volé au monstre dangereux. Car ici, on vit en permanence avec une épée de Damoclès au-dessus de la tête. D'ailleurs, nous sommes les témoins d'une scène tout à fait parlante. Devant l'église, un cortège transporte la statue miraculeuse de la Vierge réputée pour protéger la ville des éruptions du Tungurahua. Son réveil a fait sortir la procession, consciente du péril mais confiante dans sa foi et peut-être aussi dans les autorités locales qui préparent la population aux évacuations d'urgence.

Quilotoa (3914 m)

"**U**n peuple étrange, disait Alexandre de Humboldt en 1799, qui vit dans la pauvreté sur des montagnes d'or, s'amuse avec de la musique triste et s'endort tranquille aux pieds des volcans". Voire sur la rive même du cratère ! Nous y avons d'ailleurs vécu quelques jours avec une famille andine installée tout là-haut dans la solitude glaciale de la Cordillère. Enveloppés de ponchos, la tête coiffée d'un chapeau de feutre, nous nous affairons autour du feu, source de chaleur aussi bienfaisante que l'accueil de nos hôtes.

Accompagnés de leurs lamas, nous partons à la découverte de ce cratère où un superbe lac émeraude laisse échapper en surface d'inquiétantes bulles. Contrairement aux apparences, il ne dort pas ! Du reste, un regard sur les restes de cratères et les cônes des environs suffisent à nous confirmer la bien réelle activité volcanique qui sourd sous nos pieds... Face à cette lagune aux eaux turquoise, nous imaginons les lieux plusieurs siècles auparavant : dans la caldeira du volcan, des jets de lave et de fumerolles... un monde en ébullition.

EQUATEUR

Depuis des lustres, la même vie andine bat son plein. Les enfants aux joues rebondies, petits rois des Andes, sont chargés d'amener lamas et moutons autour du cratère, là où l'herbe pousse généreusement grâce au sol fertilisé par les cendres volcaniques. Les cultures fleurissent, les animaux engraissent, la laine abonde et la vie, même très rude, se développe en harmonie avec le volcan qui façonne le paysage.

Chez nos hôtes, le père est l'artiste de la famille. Il peint de petits tableaux inspirés de son environnement : volcans enneigés, lacs vert émeraude et lamas altiers. Cet art naïf colle parfaitement avec le décor que nous sillonnons depuis des jours.

Quant aux femmes andines, leur travail concerne le filage, le peignage et le tissage de la laine ainsi que la fabrication des chapeaux de feutre.

GUATEMALA
Fuego (3763 m) et
Acatenango (3960 m)

Dans un train complètement fou, une espèce d'autobus monté sur rail appelé *Autoferro,* nous parvenons après plein de péripéties au Guatemala. C'est dans ce joyau de l'Amérique centrale que commença véritablement notre apprentissage des montagnes de feu. Sur le terrible, parce qu' imprévisible, volcan Fuego.

Pour l'atteindre, il a d'abord fallu franchir l'Acatenango, un autre volcan actif et une épreuve car il n'existe pas vraiment de passage, juste des plantations en escalier, des forêts de pins et des dalles escarpées. Le bonheur ! Lessivés de fatigue, le désir d'approcher le Fuego reste plus fort que tout. La marche se poursuit donc sur de la poussière de lave et de scories dans la nuit maintenant installée. On réalise alors que la lune n'est pas la meilleure conseillère. Sans point de repère, incapables de savoir précisément ce qu'il se passe, nous atteignons quand même, dans l'épuisement le plus complet, le replat de la lèvre sommitale. C'est à ce moment que nous fîmes vraiment connaissance avec ce dangereux volcan qui nous accueillit à sa façon : par une explosion de type strombolien d'une rare violence dont le souffle nous a balayés sur un tapis de scories encore chaudes. Nous n'avons rien vu venir. La terre est restée silencieuse, aucun grondement ne nous a avertis de l'imminence du danger. Choqués, meurtris, on a réalisé que la mort venait de nous frôler. Notre apprentissage commençait.

ANTIGUA

Cette Arche de Santa Catalina Martir est l'icône du petit bijou qu'est Antigua, ancienne capitale du Guatemala cernée de trois volcans et aujourd'hui classée au Patrimoine de l'Humanité par l'Unesco. Fondée par les conquistadors le 10 mars 1543 sous le nom de Santiago de los Caballeros, elle fut anéantie par une succession d'éruptions volcaniques et de violents séismes. A la suite d'une nouvelle tragédie, la couronne d'Espagne déplaça en 1773 la capitale à Guatemala-Ciudad.

Antigua est une ville idéale à parcourir à pied pour en savourer le charme et découvrir les rares vestiges de ses anciennes splendeurs comme des fontaines, façades et bas-reliefs. Son cœur bat sur la Plaza Mayor, lieu de prédilection des Antigueños aussi surnommés "ventres verts" pour leur grande consommation d'avocats !

Semaine Sainte - Antigua

Les volcans ne laissent pas indifférents les peuples qui vivent à leur pied. Pour conjurer les mauvais sorts inhérents aux éruptions volcaniques, la religion et les croyances leur donnent des raisons d'espérer. Pour s'en convaincre, nous vous convions à l'éblouissante Semaine Sainte d'Antigua rythmée par des processions de pèlerins aux tuniques violettes, blanches ou noires, qui retracent la crucifixion du Christ. L'extraordinaire ici est la création des *alfombras*, sublimes mosaïques de pétales de fleurs et de sciure de bois composées par les familles pour exprimer leur foi. Des tapis colorés que foulent les cortèges d'hommes et de femmes brandissant haut les *Andas*, ces plates-formes où trône la Vierge. Au milieu de la foule, ils avancent doucement, joyeusement ou gravement, balançant de lourds encensoirs dont l'encens crée une ambiance surréaliste. Devant nous, un peuple mêlant prières catholiques et croyances mayas, implore les divinités protectrices d'Antigua et les esprits des volcans, une dualité chère aux prêtresses. Comme les pétales de fleurs piétinés durant Pâques, ce sont les cendres des volcans que les Antigueños remuent aux heures de cataclysmes. Cette fête dans laquelle nous nous immergeons est-elle organisée pour éloigner les menaces occasionnées par les nombreuses éruptions et séismes qui ébranlent régulièrement la région ? Ces deux catastrophes naturelles sont ici souvent liées. La remontée du magma peut en effet se traduire par des poussées qui secouent la croûte terrestre suite aux chocs de plaques souterraines. Antigua connaît ça. Les ruines du couvent de la Recoleccion, entièrement détruit par les tremblements de terre qui de 1523 à 1976 ravagèrent la ville, en témoignent.

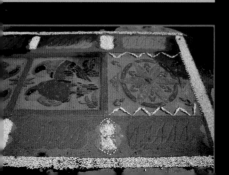

GUATEMALA
Lac Atitlán et
Santiaguito (3772 m)

Le clou du survol des volcans gua-
témaltèques est la vue fantastique
sur le lac Atitlán aux eaux indigo,
niché dans un écrin de montagnes
de feu dont le Santiaguito. Pour
l'observer, nous avons progressé à
quatre pattes et à la machette dans
un enchevêtrement inextricable de
branches. Chaque coup de lame
nous recouvre de cendre blanche
qui ensevelit la jungle.

Ce volcan est étonnant. Aussi régu-
lier que nos coucous suisses, il
explose toutes les trente minutes.
En fait c'est un signe de croissance
du dôme de lave qui, depuis 1922,
ne cesse d'éructer ses panaches
de fumées toxiques et de cendres.
Si, de jour, ce volcan se dessine en
gris clair, la nuit, c'est le rouge qui
prédomine. Les blocs de lave
chauffés à très haute température
dévalent le cône pentu pour s'éclater au pied de Santiaguito dans un
boucan d'enfer.

GUATEMALA
Pacaya (2552 m)

Antigua sommeille encore lorsque nous nous rendons au volcan Pacaya, situé au cœur de la plus grande concentration de volcans au monde. Surnommée le Stromboli de l'Amérique centrale, cette diva guatémaltèque aux coulées pyroclastiques est en activité permanente mais permet qu'on l'approche de très près. On ne va donc pas s'en priver ! C'est par des sentes raides où le danger vient surtout des serpents venimeux, que nous accédons à l'ancienne caldeira. Sur le cône actif nommé MacKenney, du nom de celui qui gravit ce volcan cinq cents fois, se produisent des micro-explosions et s'élèvent des vapeurs de gaz dont les sons lugubres remontent du cœur du cratère. Le sol vibre sous nos pas et le vacarme qui s'échappe de cette forge est vraiment terrifiant. Vaille que vaille, nous restons, espérant assister à un jaillissement de lave incandescente. Ce ne sera pas pour cette fois. Dommage.

Laissant derrière nous la belle Antigua, nous mettons le cap sur le Pacifique et l'archipel hawaiien, le plus isolé du monde. Réputé pour ses plages et ses rouleaux qui défient les chasseurs d'écume, l'archipel passionne les volcanologues du monde entier puisqu'il est né de l'accumulation du magma remonté des profondeurs de l'écorce terrestre. Et sa croissance se poursuit, un groupe d'îles étant en constante formation – des points chauds, dans le jargon de la volcanologie – dont la plus jeune est celle que nous découvrons, Big Island qui donna son nom à l'archipel. Un vrai paradis pour chasseurs de volcans ! Là se trouve notamment le Pu'u O'o que nous survolons de près. Il s'agit d'un nouveau cône éruptif arrimé aux flancs du volcan Kilauéa. S'en échappent de gros panaches de fumée et, chaque jour, il expulse quelque 2 000 tonnes de dioxyde de soufre. Les laves qui s'en écoulent par milliers de mètres cubes restent invisibles, car elles sont canalisées dans des "tubes" sacralisés par les anciens Hawaiiens, en fait des tunnels souterrains qui les amènent jusqu'à l'océan à une température de plus de mille degrés. Tout autour de ce beau cratère qui s'élève à 1 227 mètres d'altitude, s'étendent d'immenses coulées de lave durcie qui ont tout enseveli, forêts et villages.

HAWAII
Mauna Kea (4 206 m)

Point culminant d'Hawaii, la "Montagne blanche" abrite un observatoire astronomique. Avec 40 % de l'atmosphère terrestre à son pied et 98 % de la vapeur d'eau éliminée, le site est idéal, sans aucune lumière parasite pour troubler les nuits d'encre d'une grande pureté. Le Mauna Kea serait le domaine de Poli'ahu, déesse de la neige et ennemie de Pelé, réputée pour sa beauté et ses conquêtes masculines. Et en effet, la neige en couvre le sommet certains hivers pour la plus grande joie des skieurs.

HAWAII
Kilauéa (1 222 m)

Nous voici à la demeure de Pelé, déesse du Feu et des Volcans, crainte mais vénérée des Hawaiiens qui la rendent responsable des éruptions volcaniques. Aujourd'hui encore, à l'aube du XXIe siècle, elle occupe une place majeure dans le panthéon des populations locales. Chaque année, en son honneur, les autochtones perpétuent leurs traditions ancestrales en se recueillant sur la rive du volcan. Ces rites d'origine tahitienne, introduits à Hawaii au XIIe siècle, racontent la migration des hommes des lointaines Iles de la Société vers l'archipel hawaiien et l'installation de leur déesse dans sa demeure actuelle, le volcan Kilauéa, la montagne de référence qu'étudient les savants du monde entier.

Vêtus pour l'occasion de tuniques jaunes ornées de plumes, les prêtres hawaiiens président aux cérémonies au cours desquelles chacun lance dans le cratère Halemaumau une offrande à celle qui semble pour l'instant parfaitement calme.

Et pourtant ! Nous sommes sur la plus grande machine à fabriquer des volcans, Pelé étant en effet célèbre pour son mauvais caractère et ses furies volcaniques. Pour ne point attiser sa colère, les Hawaiiens parés de leurs costumes rituels – pagnes et toges colorés enrichis de colliers de fleurs, de graines et de coquillages – effectuent des danses et des chants rythmés par les tambours et les plaintes tirées de conques. Cette célébration est à l'image du volcan le plus surveillé du monde. N'oublions pas qu'en 1984, le Mauna Loa, juste à côté, avait expulsé 220 millions de m³ de lave, créant une fissure de 25 km de long. Ce fut la plus grosse éruption du siècle. Tout cela laisse songeur…

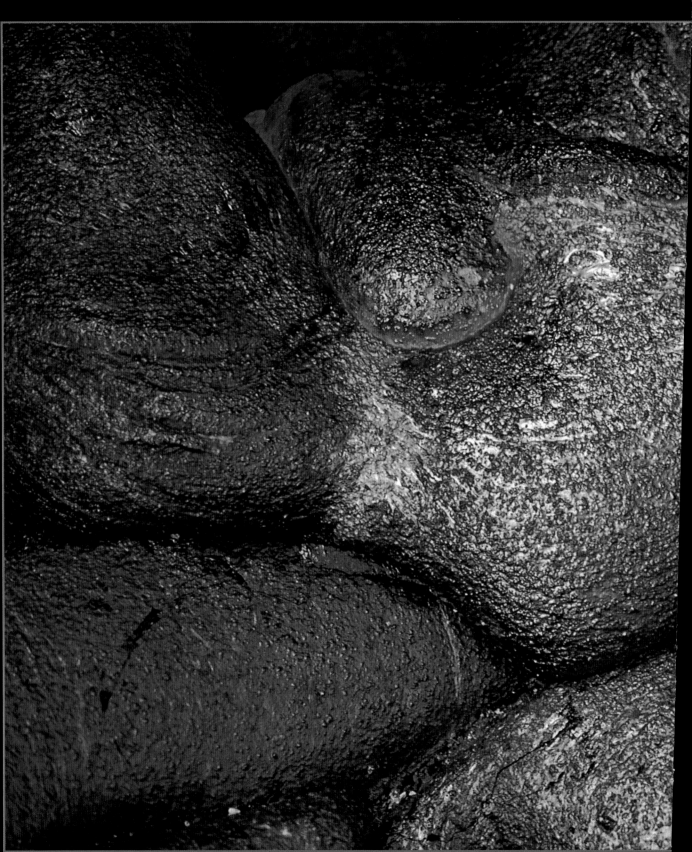

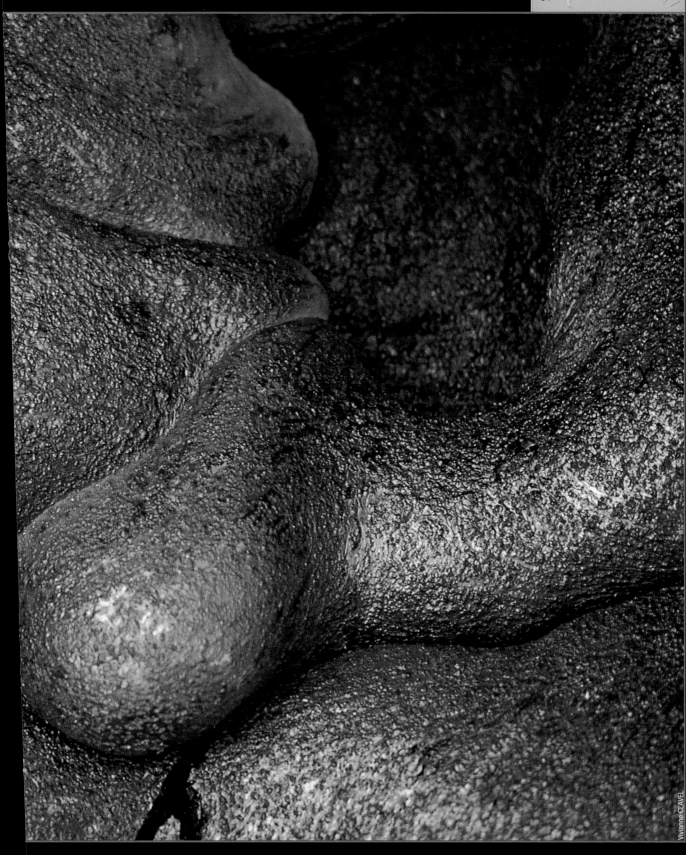

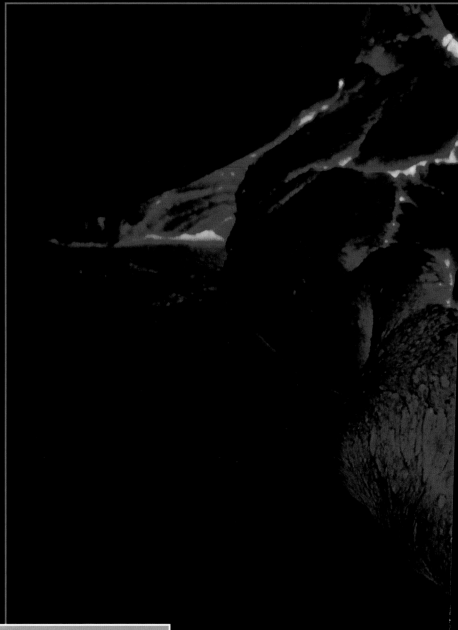

Réfréner les caprices de Pelé n'est pas une mince affaire ! Car lorsque la déesse se manifeste, l'apparente sérénité de son visage prend une terrifiante tournure dont nous prenons toute la mesure le soir venu. Dans la volupté de la nuit hawaiienne, ses forces destructrices se déchaînent sous forme de coulées de lave bouillonnantes pouvant atteindre une vitesse de 100 km/h lorsqu'elles se déversent au-dessus d'un point chaud comme le Kilauéa. Comme un monstre rampant, la lave épaisse avance, engloutissant tout. Elle le fait depuis 70 millions d'années dans cette vaste chaîne de volcans qui débute aux îles Hawaii et s'achève dans la fosse du Kamtchatka en Russie.

Vision à la fois dantesque et sublime. Sur Big Island, en trente ans, les volcans ont craché 1,6 milliard de mètres cubes de lave, de quoi paver une route faisant 50 fois le tour de la Terre… Qui est bien vivante ici, elle n'arrête pas de nous le prouver.

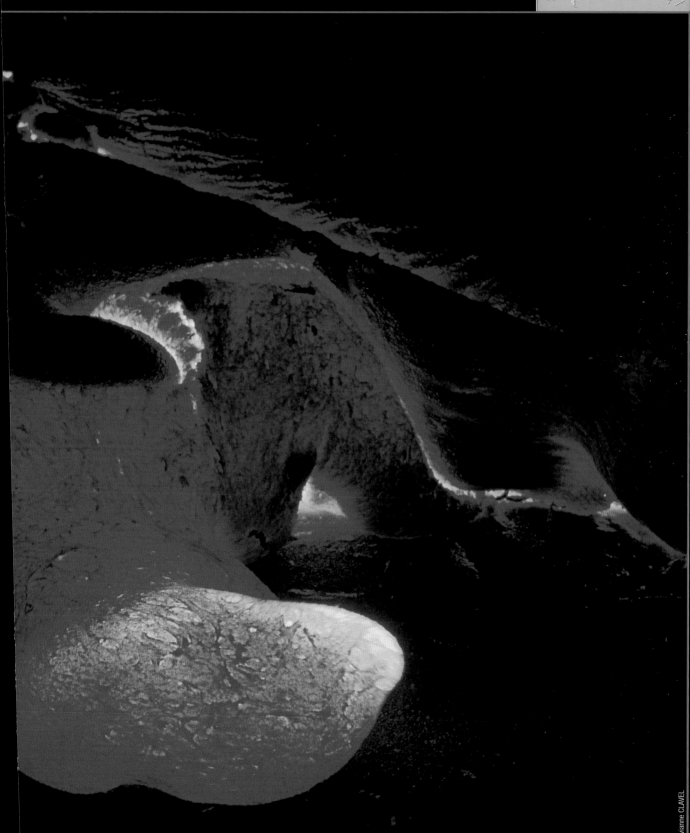

Waikiki

A quelques encablures d'Ohau et de sa célèbre station balnéaire de Waikiki, destination favorite des Américains et Japonais pour leurs voyages de noces, la forge du Kilauéa ne cesse de tourner.

En marchant sur des champs d'anciennes laves solidifiées, nous nous approchons, excités, de ses rivières de feu. Il y a des régions de la planète qui nous ont marqués dans nos chairs, comme l'Orénoque, l'Amazone et le Nil. Hawaii, synonyme de montagnes cracheuses de feu, nous semblait inaccessible, relevant d'un rêve de gamin. Mais voilà, nous y sommes parvenus sur ce "point chaud", bien décidés à en percer les secrets et merveilles qui sourdent de son ventre.

Pour observer les coulées rouge sang lorsqu'elles expirent de leurs tubes souterrains, nous nous rendons au bord de l'océan où les vagues se brisent sur des falaises modelées par de la lave refroidie et durcie. Perchés à plus de vingt mètres au-dessus de l'eau, on a du mal à imaginer la quantité phénoménale de basalte, cette roche volcanique noire et lourde, qui a jailli du cône sommital. C'est là, pour notre plus grand bonheur, que nous regardons, fascinés, les tunnels de lave incandescente déboucher à l'air libre. Le fracas des rouleaux atténue le bruit que génère l'union de l'eau et du feu volcanique. Dans l'océan Pacifique, de colossales volutes de vapeurs chargées d'acide chlorhydrique se créent au contact de l'eau salée.

La nature tout entière fait de la sculpture. Elle se donne en spectacle alors que la lave vient terminer sa vie en agrandissant la surface de l'île de Big Island. C'est par cette même lave en fusion que l'archipel s'est élevé peu à peu depuis le fond de l'océan pour devenir le plus haut relief volcanique du monde.

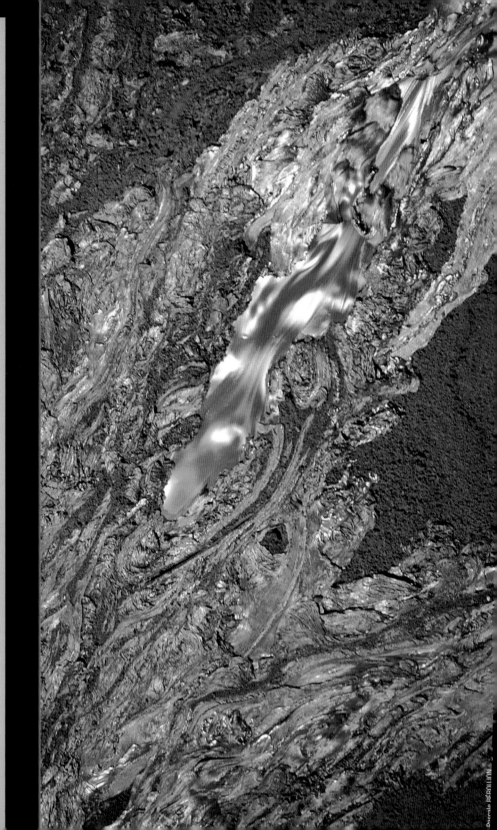

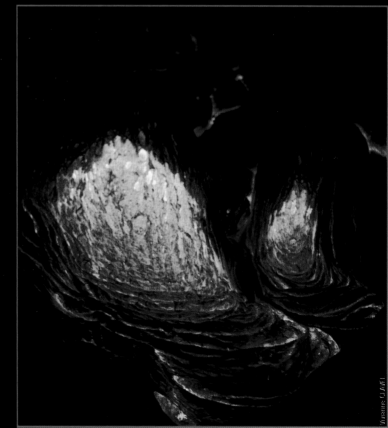

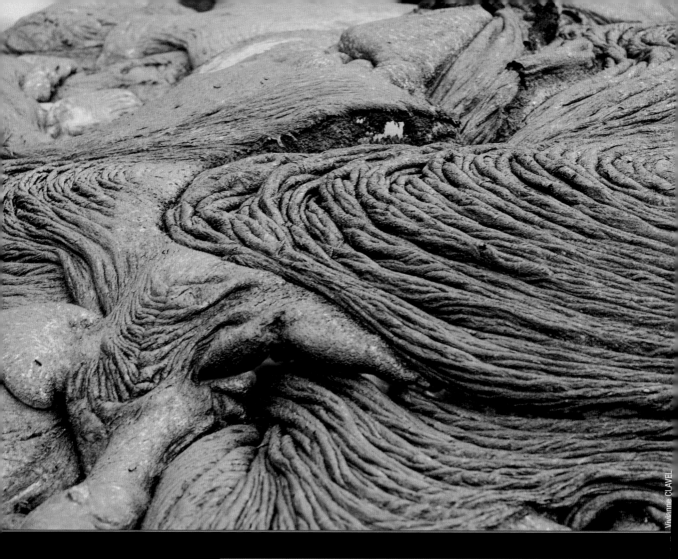

Vivianne CLAVEL

HAWAII

En dessous du cratère du Pu'u O'o, nous sillonnons d'immenses plaines chaotiques recouvertes de deux types de lave durcie. La lave "Pa Oy Oy", torsadée et plissée et "Aa", rugueuse et coupante sur laquelle les Hawaiiens criaient de douleur (Aaah !) en s'écorchant les pieds.

Dans ce paysage lunaire et dévasté, la vie est plus que tenace. Le végétal arrive à s'infiltrer partout à la moindre opportunité, surtout dans les coulées Pa Oy Oy où une micro vie s'organise. Avec la condensation des fumerolles vaporeuses, de petites mares d'eau permettent au monde microbien de se développer. Ainsi, des algues poussées par le vent s'y enracinent et les fougères occupent le terrain. La marche de la vie peut démarrer. Suivront des insectes, plus tard les oiseaux.

Sur le champ de lave, une baignoire, la carcasse d'un bus, une route ensevelie, c'est tout ce qu'il reste de la bourgade de Kalapana ; en avril 1990, lors d'une nouvelle éruption, le Pu'u O'o a rayé de la carte ce magnifique village constitué de superbes villas, devenu fantôme.

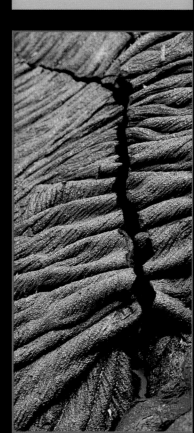

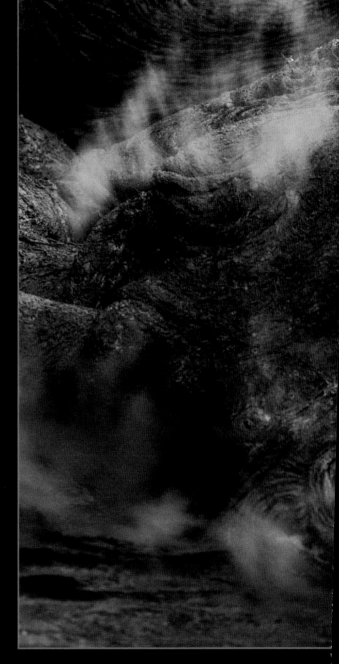

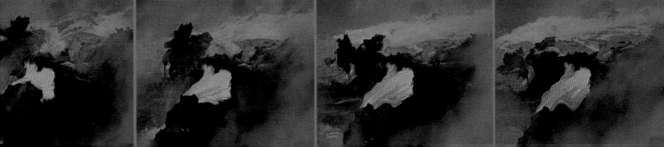

HAWAII

Les îles Hawaii ont aussi été le théâtre, durant 1939-1945 à Pearl Harbor, d'opérations militaires terribles, et c'est sur ce navire de guerre, le *USS Missouri,* exactement sous les canons, que fut signée la capitulation du Japon. Le général Mc Arthur reçut la reddition de l'armée japonaise le 2 septembre 1945.

Ci-dessous, cette plante en panache est un "silversword" ou "sabre d'argent". Une plante très rare, on en dénombre peu, probablement entre 2 000 et 3 000. Elle ne pousse et survit que sur le volcan Haléakala sur l'île de Maui dont la dernière éruption remonte à 1790.

LA REUNION
Piton de la Fournaise
(2 631 m)

Les sismographes s'affolent. Sous la pression du magma qui fracture les roches, le nombre de séismes augmente. L'éruption est proche. En quelques heures le magma émerge à la surface. La chance nous sourit. Parvenus au sommet du piton de la Fournaise, nous assistons enfin à une éruption volcanique ! La tête encore bourdonnante des musiques et images du carnaval auquel nous venons de participer, nos yeux ne perdent pas une miette du spectacle grandeur nature qui se déroule, là, devant nous. Des fontaines de lave jaillissent de toutes parts. Le dieu Vulcain est agrippé à sa forge, la Fournaise est en pleine convulsion. Des fissures qui s'évasent, bondissent des fontaines de lave, grandes projections liquides poussées par les gaz. Le feu d'artifice a bien commencé. L'éruption se poursuit par de longues coulées basaltiques de roches volcaniques noires riches en magnésium, en fer et en calcium mais pauvres en silice. Les yeux écarquillés, nous admirons l'œuvre d'un des volcans les plus actifs de la planète, qui entre en activité quasiment tous les quatorze mois, produisant chaque année dix millions de m³ de lave. Dantesque.

Jean-Michel RENAULT

Peu à peu, en dévalant les pentes, le basalte se refroidit, s'épaissit, devient pâteux, ce qui ralentit considérablement sa vitesse, puis sculpte d'incroyables formes boursouflées. Impitoyable pyromane, la rivière n'épargne rien, brûlant sur sa lancée les pinèdes avant d'achever sa course 12 km plus bas dans l'océan Indien. Dans un bouillonnement de vapeurs et de panaches de fumées blanches, le basalte chauffé à 1 000 ºC bascule dans les vagues. La rencontre est brutale mais, comme toujours, l'eau a raison du feu qu'elle happe, chahute, étire et transforme dans un fantastique bruit d'ébullition. Nous vivons là d'indicibles moments. Voir la terre s'animer sous nos yeux, la voir déployer sa féerie d'ors et de pourpres de laves en fusion, ne nous laisse pas indemnes. Devant ces images du sang de la terre, les volcans nous fascinent parce qu'ils orchestrent un des plus beaux spectacles de la nature, celui de la Genèse du monde.

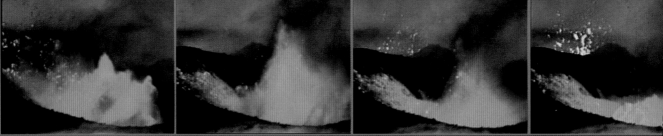

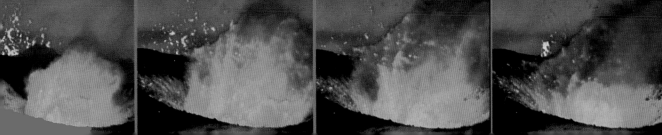

MEXIQUE
Popocatépetl (5 465 m)

Ce n'est pas un volcan, c'est une divinité. Tellement redoutée par les populations indigènes qu'à certaines occasions, un maître du Temps ou "Tiempiero" entre en communication avec le Popocatépetl pour l'adoucir et lui apporter des offrandes. Celui que chacun surnomme le "Popo" abriterait une belle princesse endormie, fille d'un roi aztèque, qui attendrait son amant tué à la guerre. Renseignements pris, on nous a assuré qu'ils s'étaient retrouvés, c'est de bon augure.

Ce volcan-dieu mérite bien son nom, qui se traduit par la "Montagne qui fume", car depuis ses nombreuses éruptions, des nuages de cendres et de gaz tombent régulièrement sur les pueblos situés sur les pentes de ce seigneur mexicain. La menace pèse lourdement sur ce qui fut la plus grande pyramide mexicaine encore ensevelie et désormais surmontée de l'église Nuestra Señora de los Remedios. Juste derrière cet édifice que l'on visite à Cholula, se dresse le majestueux Popocatépetl.

Le survol de cette légende, effectué dans les pires conditions de turbulences et de brouillard, nous a quand même permis, entre deux trous d'air impressionnants, de mieux admirer la violente activité fumerollienne qui s'échappe du cône quasi symétrique recouvert de neige. Il paraît que le conquistador espagnol Hernán Cortés (1485-1547), alors qu'il détruisait l'empire aztèque pour fonder la Nouvelle Espagne, envoya une expédition sur le Popocatépetl pour se procurer le soufre nécessaire à la fabrication de la poudre à fusil. A 5 500 mètres, un homme attaché à une corde fut descendu dans ce cratère. Vous imaginez la suite…

Erigée exactement dans l'axe du Popocatépetl, ce qui devait avoir une signification précise, la pyramide-temple de Cholula était consacrée à Quetzalcóatl, dieu du Vent, de l'Etoile du soir et de celle du matin. Bien qu'encore enfouie sous la terre et la végétation, les archéologues estiment qu'il s'agit à ce jour de la plus grande pyramide du monde : 425 m de côté, 62 m de haut et couvrant une superficie de 17 hectares !

Après la Conquête, les indigènes restèrent fidèles à leurs nombreux dieux, obligeant les Espagnols à construire leurs églises et monastères sur d'anciens sanctuaires. Ce qui explique la présence insolite de l'église Nuestra Señora de los Remedios (Notre-Dame de l'Aide Eternelle). Pas dans sa version d'origine bien sûr puisqu'elle fut détruite par des éruptions et des séismes. De style néoclassique avec force profusion de dorures et d'arabesques, elle conserve dans une vitrine une statue de la Vierge qui aurait été offerte par Cortés aux moines franciscains. Ceux-là même qui firent élever en 1549 le monastère San Gabriel sur un ancien lieu de culte aztèque. Une civilisation brillante et guerrière qui n'hésitait pas à sacrifier les jeunes filles vierges pour apaiser le volcan.

MEXIQUE
Paricutín (3 170 m)

Au Mexique, le site qui nous émeut particulièrement concerne le pueblo d'Angahuan, dans le sud du pays, où nous sommes allés. Il ne reste plus rien du village, hormis le clocher emprisonné dans son linceul de lave noire.

L'histoire de son église est liée à celle d'un paysan, Dionisio Pulido, entré dans la légende du volcanisme. Pourquoi ? Parce que le 20 février 1943, sous ses yeux on imagine ô combien ébahis, il vit la terre s'ouvrir et le sol cracher fumées et gaz. Il fut en fait le témoin exceptionnel de la naissance d'un volcan qui, en à peine deux ans, atteignit 350 mètres de haut !

Durant l'éruption, alors que le village était assailli par la lave menaçante, les habitants essayèrent de récupérer leurs plus précieux biens avant de fuir.

Au sein du squelette d'église, l'autel a été miraculeusement épargné par la coulée ce qui, vous pouvez l'imaginer, a augmenté la superstition des populations et les a confortées dans leurs croyances.

C'est à cheval, accompagnés d'un *campesino,* que nous traversons les grandioses étendues du Michoacán pour nous rendre sur les lieux du drame. C'est impressionnant de désolation.

Nous nous frayons tant bien que mal un passage dans des amoncellements de blocs de lave. Du haut du volcan, nous avons une vision assez précise de l'ampleur du désastre qui survint en 1943, engloutissant villages, hameaux, plantations et forêts. Dramatiques conséquences de l'affrontement de deux plaques tectoniques.

Avant l'éruption, c'était plat ici et le maïs poussait en abondance. Aujourd'hui, nous sommes perchés à 424 mètres sur des millions de mètres cubes de scories et de lave durcie qui dégagent par endroit des fumerolles... Les villages de Parangaricutiro et de Paricutín n'existent plus, rayés de la carte par la fureur volcanique. Les habitants ont eu la chance de fuir à temps. La lave heureusement pour eux, s'écoulait lentement.

Au loin, seul le campanile de la basilique, autrefois un important lieu de pèlerinage, est épargné, émergeant du chaos tel un phare.

Au fond du cratère, dans l'antre du monstre, nous crapahutons sur l'origine du mal au milieu de blocs de plusieurs tonnes expulsés comme de vulgaires billes par une éruption strombolienne d'une violence inouïe.

INDONESIE - JAVA
Bromo (2 392 m)

L'archipel indonésien, le plus grand du monde, est un mélange de curiosités géologiques, d'exotisme au relent de soufre et de plantations en terrasses luxuriantes. Un vaste pays totalement modelé par de violentes éruptions volcaniques qui compte 140 volcans actifs… Un cocktail explosif qui nous ravit !

La dégustation commence avec le Bromo, volcan sacré des Javanais, qui doit son nom au dieu hindou Brahma et qui restera un des grands souvenirs de notre passage sur Java. Ici, il est vrai, les volcans sont intégrés à la vie quotidienne, aux croyances et aux religions. Du cratère s'envolent des panaches de fumée, comme l'encens va rejoindre les croyances hindouistes des habitants.

La vue sur l'immensité de la caldeira est inimaginable au lever du soleil quand le regard embrasse les cinq volcans du massif de Tengger. Des cônes parfaits mais ravinés, grands moules à gâteaux renversés teintés de chaudes couleurs sous les rayons du soleil naissant.

INDONESIE - JAVA
Batok (2 440 m)

Chaque année, pour la fête du Kesodo, le culte de Bromo, du "feu" de la montagne, des milliers d'indigènes gravissent en priant les centaines de marches qui conduisent au cratère. Ils entreprennent alors, comme ils nous l'expliquent, "l'ascension vers le paradis" où diverses offrandes – poulets, fruits, fleurs – sont lancées pour quémander indulgence et apaisement au dieu hindou Kesodo. C'est leur façon de se protéger des terribles éruptions qui se caractérisent ici par des projections de bombes incandescentes, des nuées de gaz et des pluies de cendre.

Sur le cône elliptique du Bromo de 800 mètres de diamètre, nous nous engageons prudemment sur l'étroite crête sommitale, cent mètres au-dessus du fond du cratère qui lâche ses turbans de fumée blanche. Pris par l'ambiance de dévotion qui règne en cette journée empreinte de rituels, nous jetons à notre tour une offrande de fleurs au dieu Kesodo, bouquet que de jeunes garçons vont s'empresser d'aller chercher.

A côté du Bromo, le Batok, volcan endormi, au cône érodé par la violence des pluies qui frappent cette région, est un autre des sept volcans de la grande caldeira du Tengger.

Sur la rive volcanique, à l'écart des centres surpeuplés, nous découvrons la réalité d'un pays qui, nous le savons à cet instant, va nous passionner.

INDONESIE - JAVA
Semeru (3 676 m)

Sur le plus haut volcan de Java, surnommé la Grande Montagne, sensations et frissons sont de la partie ! Le trek dure quatre jours épuisants à crapahuter sur un terrain écorché, marqué de bivouacs sommaires, de nuits glaciales mais dans une ambiance bon enfant autour de Sami, notre guide, et de jeunes alpinistes indonésiens. Sachant que ce volcan explose toutes les 30 minutes, nous profitons du répit de la bête pour contempler d'aussi près que possible le fond du cratère. Moment grisant que celui qui précède le feu d'artifice ! Rien ne laisse présager l'imminence d'une explosion. Et puis soudain, dans un boucan infernal suivi d'un monstrueux panache gris, la bête rugit et vomit sans discontinuer son mortel venin. Il fait moins dix degrés, nous sommes gelés mais notre odyssée prend vraiment tout son sens, là, face à ce spectacle hallucinant. Nous avons réussi, nous vivons la vie des volcans.

INDONESIE - JAVA
Mérapi (2 911 m)

L'Indonésie abrite plusieurs Mérapi ou "lieux du feu" mais celui qui nous intéresse, le plus violent de tous, se situe près d'Yogyakarta. Son ascension est d'autant plus pénible qu'il faut composer avec le brouillard, qui nous masque l'énorme dôme, et les fortes odeurs de soufre. Malheureusement, la météo désastreuse nous a empêchés de vivre pleinement l'activité de ce tueur armé de nuées ardentes et de nuages de cendres brûlantes. On se console aux temples de Borobudur, du VIIIe siècle, plus grand monument bouddhique du monde, symbole de la terre et du ciel. Les pierres des "stupas" ajourés en forme de cloches proviennent du Mérapi. Encore un volcan qui sert l'homme…

INDONESIE - JAVA
Kawa Itjen (2 386 m)

Le Kawa Itjen ou "cratère vert" est le plus grand réservoir d'acide du monde. Un volcan unique qui restera marqué dans nos chairs. Les fumerolles acides qui tourbillonnent déposent chaque jour quatre tonnes de soufre alors que 30 000 tonnes dorment au fond du lac couleur émeraude. Cette "soupe de Satan" naît lorsque les gaz sulfureux se répandent au fond du cratère rempli d'eau de pluie, la transformant alors en acide. Comme le remarqua un jour Maurice Krafft, le volcan "sacré, blessé, saigne du soufre de la terre".

L'extraction de cette matière minérale se fait au prix d'efforts surhumains et de risques extrêmes. Dès l'aube, nous suivons les indigènes dans leur pénible labeur. Ce ballet humain a quelque chose de surréaliste dans cet amphithéâtre de roches colorées et de parois ravinées par les pluies tropicales.

Ici, des hommes ploient sous les paniers d'osier chargés de 80 kg de blocs de soufre qu'ils transportent sur de grossiers balanciers de bambou. Ailleurs, munis de barres de fer, ces forçats de la terre martèlent les plaques jaune vif pour les réduire, un simple foulard sur le visage pour se protéger contre les toxiques émanations de soufre. Des conditions de travail épouvantables pour un salaire de misère de dix centimes par kilo arraché au Kawa Itjen et une espérance de vie moyenne qui ne dépassera guère 30 ou 40 ans. Sans compter que la marmite de gaz qui cloque dans le cratère peut parfois devenir un piège mortel comme elle le prouva dans le passé.

A l'autre bout de cette cruelle chaîne, le minéral servira à la vulcanisation du caoutchouc, au blanchiment du sucre, sera introduit dans certains médicaments et explosifs.

Ici comme ailleurs, tout est lié, les volcans et les hommes ne font qu'un. Même si, chaque année, on déplore en moyenne 800 morts, les volcans sont utiles aux hommes. Depuis des siècles, leurs éruptions génèrent des ressources non négligeables qui profitent à plus de 400 millions de personnes. Drainées par les pluies, les cendres riches en sels minéraux, en chaux, en potasse et en alumine fertilisent les sols. Résultat, les cultures poussent aux pieds des volcans trois fois plus vite qu'ailleurs. Cette manne "céleste" explique pourquoi les îles volcaniques indonésiennes sont les plus peuplées. A l'instar de Bali et des villages bâtis autour du mont Batur.

Entre ombres et lumières, courbes dessinées autour des collines, cocotiers élancés agrippés aux terrasses vert tendre, les luxuriantes rizières s'étagent sur les flancs de Batur. De l'aube au crépuscule, le monde s'agite sous nos yeux, vivant en étroite symbiose avec le volcan. Des bœufs attelés à des espèces de herses labourent le sol nappé d'eau. Bêtes et hommes partagent le même idéal, enrichir ces rizières pour que les récoltes abondent. Seul le bruit des bœufs et de l'eau travaillée témoigne d'une présence humaine. Plus loin, arc-boutées sous les grands cônes tressés de paille qui les protègent du soleil, les femmes silencieuses repiquent les plants de riz. Sur l'eau grise des îles indonésiennes s'accroche désormais la verte beauté des rizières ciselées de lumière. Toutes ces scènes paysannes apportent énormément de sens à notre travail. Celui d'associer les hommes aux volcans.

L'arrivée au lac Batur, à 1 400 mètres d'altitude, offre un point de vue grandiose sur le volcan et le lac formé sur un cratère de 10 km de diamètre. Le Batur n'est pas de tout repos et ses réveils sont parfois cruels. Ce serait Çiva, divinité hindoue, dieu du Vent destructeur, qui aurait choisi Bali pour implanter les deux volcans, Agung et Batur.

Une tête d'éléphant sur un gros ventre, voilà Ganesh, le fils de Çiva, dont la statue monte la garde de nombreux temples balinais.

INDONESIE - SUMATRA
Krakatau (813 m)

Un volcan dont l'histoire glace les sangs. L'apocalypse survint en 1883 avec une éruption qui fit 36 000 morts. Les cendres firent plusieurs fois le tour du globe et saupoudrèrent la planète, jusque sur nos glaciers européens. Pour couronner le tout, l'explosion déclencha un formidable tsunami avec des vagues de 30 mètres qui rasèrent plusieurs ports… et qui se répercuta jusqu'en Bretagne ! Et tout ça pour quoi ? Pour s'autodétruire. A cause de sa lave trop visqueuse incapable de trouver une sortie alors que la pression gazeuse monte à son paroxysme. Résultat, ce fut un Big Bang volcanique. Mais ce qui nous amena sur cet îlot perdu dans le détroit de la Sonde, c'est la naissance d' "Anak Krakatau", le fils. Qui se manifeste par des mini-éruptions, un sol jonché de scories chaudes, des fumerolles sulfureuses. Une progéniture qui s'annonce bien austère et inquiétante.

ITALIE
Stromboli (926 m)

En approchant en bateau des Eoliennes, îles de légende, on le sait, nous n'échapperons pas à la magie de ce sanctuaire.

L'archipel, sous nos yeux déjà ensorcelés, déploie en éventail ses sept îles enchantées qui, par leur nature volcanique explosive, sont les sœurs des îles Hawaii. Nichés dans d'anciennes coulées de lave, des bourgs pimentés de maisons blanches relevées de palmiers se lovent aux pieds de ces îles qui semblent n'exister que dans l'immanence d'un songe.

Sur l'une d'elles trône un volcan en éruption permanente depuis plus de 2 000 ans, le Stromboli, le "phare de la Méditerranée" pour les marins grecs de l'Antiquité.

L'escalader a pris plusieurs heures dans un état d'excitation que vous pouvez imaginer, malgré la fatigue et le poids du matériel. Car nous allions enfin nous confronter à ce mythe de la volcanologie.

C'est dans un sommaire abri de berger que nous attendons la nuit, impatients que le rideau se lève sur le spectacle promis. Et là, franchement, nous n'avons pas été déçus. Quand les portes de l'enfer s'ouvrirent d'un seul coup, ce fut tout simplement fascinant. Le Stromboli annonce le début des réjouissances par de violentes détonations suivies de sifflements aigus. Ensuite, c'est l'explosion dans toute sa splendeur. Des masses incandescentes fusent de la gueule béante du cratère pour éclater en éventail dans un feu d'artifice du tonnerre. Pendant les explosions retombent des "lapilli", une multitude de caillots de sang écarlate formés de pierres qui vont se désagréger sur les flancs du cône.

Dans cette nuit d'encre, comme les Indiens Yanomami d'Amazonie, nous sublimons l'univers nocturne qui s'embrase de magma et de poudre lumineuse formée dans les profondeurs de la terre. Du néant jaillit la vie.

ITALIE
Vulcano (500 m)

A quelques jets de lave de Stromboli émerge dans la brume matinale Vulcano. Celui qui a baptisé tous les volcans du monde se caractérise par un plateau de lave de tuf et de dépôts quaternaires. L'aborder, c'est comme marcher sur la Lune. Univers de collines dénudées, de balafres terrestres, de bombes volcaniques, de rochers éparpillés. L'atmosphère est lourde, imprégnée d'odeurs nauséabondes de soufre. De son "cône de la Fossa" auréolé de plusieurs cratères emboîtés fusent des gaz brûlants qui frisent les 500 °C. Ici, la menace pèse puisque Vulcano, dont la dernière éruption date de 1888, est décrit comme plus explosif que le Stromboli, plus dangereux donc.

Sur les traces des anciens Romains, nous cherchons la porte de l'enfer dans l'espoir d'y voir les flammes de la forge de Vulcain, leur dieu du Feu, et lieu des supplices des damnés de la terre. En parcourant son sommet, un cratère de 500 mètres de diamètre niché au cœur d'une ancienne caldeira, à défaut de flammes, nous apercevons les jets de vapeur jaune qui s'extirpent des fissures. C'est sûr, le volcan est bien vivant. Il n'est même pas endormi... Une nouvelle activité est à craindre dans les prochaines années car l'humeur de Vulcano semble cyclique, atteignant son paroxysme quasiment tous les cent ans.

En attendant ce jour redouté, Vulcano exerce un attrait magique sur les populations. Et ce, grâce à ses eaux boueuses chauffées par les gaz sulfureux qui portent en elles des vertus thérapeutiques contre les maladies de peau.

Tout autour de nous, les curistes s'en donnent à cœur joie. Ils se vautrent, se frottent, nagent et s'enduisent le visage et le corps de cette boue jaune aux propriétés étonnantes. A la surface du lac éclatent de grosses bulles grises et luisantes. Conséquence de la remontée des profondeurs de l'hydrogène sulfuré qui, au contact de l'eau chaude souterraine, se transforme en acide.

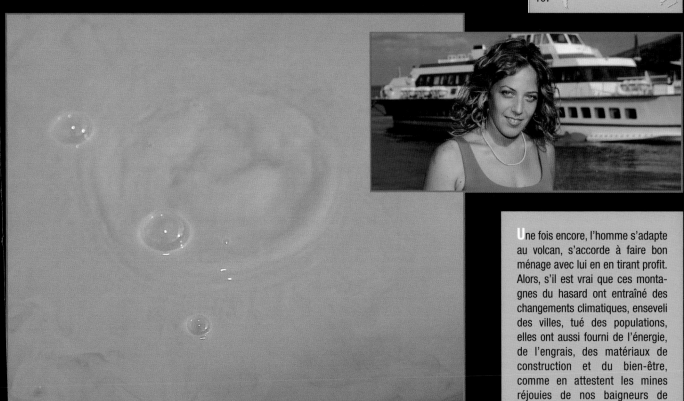

Une fois encore, l'homme s'adapte au volcan, s'accorde à faire bon ménage avec lui en en tirant profit. Alors, s'il est vrai que ces montagnes du hasard ont entraîné des changements climatiques, enseveli des villes, tué des populations, elles ont aussi fourni de l'énergie, de l'engrais, des matériaux de construction et du bien-être, comme en attestent les mines réjouies de nos baigneurs de Vulcano.

ITALIE
Etna (3 350 m)

Notre odyssée s'achève dans le sud de l'Italie, en Sicile exactement, où s'élève un des plus beaux volcans du monde, l'Etna. Même si le climat reste doux, ce volcan, du haut de ses 3 350 mètres connaît des hivers rigoureux qui l'habillent alors d'une belle robe blanche. Plus bas dans la plaine, le printemps semble quant à lui éternel et les plantations d'orangers et d'agrumes divers s'alignent à perte de vue.

Une vision bucolique n'est-ce pas ? Et pourtant, sous nos yeux tournés vers le sommet du massif, s'envolent des spirales de fumée noire, sombres nuages qui plongent villes et villages dans une profonde obscurité. L'aéroport de Catagne est fermé… au cas où. Une fois de plus, l'Etna crache comme une vieille locomotive à vapeur. Sous sa cuirasse blanche, le volcan s'active, pour quelques jours. Puis il se mettra en hibernation pour se réanimer dans un an peut-être. Ainsi en va-t-il depuis toujours. La menace reste permanente mais, allez comprendre, les populations vivent encore blotties contre les flancs de cette chaudière.

L'Etna est un hyperactif qui ne cesse d'entrer dans de terribles convulsions. Nous avons pu en juger nous-mêmes d'ailleurs, en suivant l'écoulement de lave d'une nouvelle bouche éruptive survenu sur son flanc sud-est.

A la station de Sapienza, à 2 000 mètres d'altitude, c'est le branle-bas de combat ; un front de lave avance, avalant tout sur son passage. Aussitôt, les autorités compétentes se lancent dans la construction d'une digue de 30 m de haut destinée à dévier le fleuve de feu. Aujourd'hui, trax et pelles mécaniques remplacent les piètres peaux de mouton mouillées qu'utilisaient les anciens dans ces mêmes circonstances.

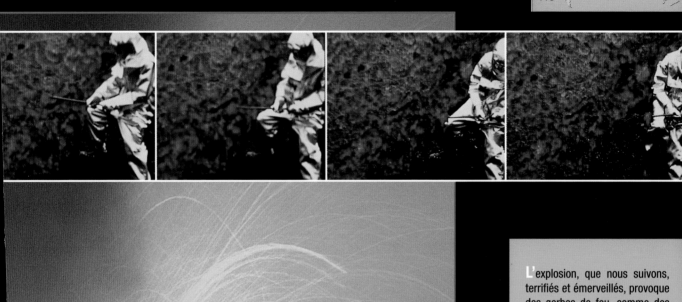

L'explosion, que nous suivons, terrifiés et émerveillés, provoque des gerbes de feu, comme des étoiles filantes. Sapienza vit de nouvelles heures difficiles, la lave y poursuivant son travail de destruction.

Momentanément dévié, le front de lave, qui atteint 1 100 °C, descend maintenant dans la vallée vers la petite ville de Nicolosi où les habitants menacés clament de fatalistes "laissez courir le feu là où la Providence l'a destiné".

Du cratère adventif, les explosions s'enchaînent, l'Etna est en totale furie. Pour notre première sur ce massif etnéen, le spectacle est incommensurable. Nous sommes aimantés par cette nature merveilleuse et cruelle. Notre passion pour les volcans se décuple ici, en plein milieu de cet enfer incandescent où le vacarme ébranle la terre.

Bien que les autorités locales aient fait évacuer tout le monde, nous parvenons, cachés dans les anfractuosités de rochers, à filmer la colère etnéenne. Dans la nuit étoilée, nous entendons les détonations, coups de semonce de l'Etna qui a l'obligeance de nous prévenir que ça va péter. Et c'est parti. Les bombes de lave rouge giclent du cratère, roulent sur le cône et vont grossir le fleuve de lave qui se dirige vers Sapienza puis Nicolosi. Il incendie tout sur son passage, bivouacs, granges, pylônes et forêts. La terre brûle de partout. Prudemment, nous nous rapprochons un peu puis encore plus près pour saisir, capter, enregistrer et filmer les moindres soubresauts et cris qui montent des entrailles déchirées de la terre.

C'est la fin du monde. N'y a-t-il rien de plus grandiose, de plus mystérieux, de plus terrifiant et de plus merveilleux qu'une telle éruption volcanique ?

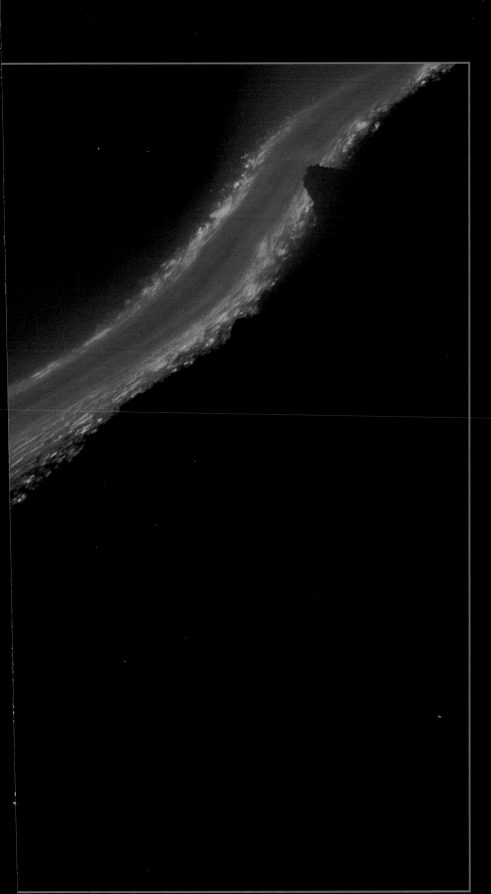

Cette odyssée s'achève alors que d'autres volcans, ailleurs, m'appellent déjà… D'autres volcans du hasard ; c'est ainsi qu'ils me sont apparus. Certains généreux dans l'expression de leur colère, d'autres endormis ou cachés sous des voiles de brume et de brouillard. Chaque ascension est une gageure, chaque arrivée au sommet une combinaison d'excitation et de frustration. Tout dépend de l'humeur de la montagne de feu.

Avec beaucoup de "baraka", quand vous arrivez, ils explosent, crachent, fument et s'exhibent dans toute leur furieuse splendeur. C'est exceptionnel. La réalité est souvent tout autre, la plupart des volcans se montrant cycliques. Il existe bien sûr une probabilité pour qu'ils entrent en activité mais cela n'est pas programmé. C'est aussi ce qui en fait toute la magique beauté.

J'espère qu'à ma manière, j'ai pu vous faire aimer cet univers de feu qui devient une fascination vers laquelle on revient toujours. Il y a d'abord la beauté inouïe du spectacle, une puissance, une force bouleversante. Et il y a l'adrénaline aussi qui n'est jamais loin, une excitation qui, sitôt le voyage terminé, revient comme un aimant, comme un manque…

LE SAVIEZ-VOUS?

Les volcans

Il existe environ 15 000 volcans sur les continents et plus encore dans le fond des mers. Il existe aussi des volcans extraterrestres sur de nombreuses planètes. Par exemple, le mont Olympe, sur Mars, qui, avec ses 25 000 m d'altitude, est trois fois plus haut que l'Everest, notre plus grande montagne. Aujourd'hui, il y a près de 1 000 volcans en activité sur terre. Ils sont une vingtaine à entrer en éruption chaque année. Ils sont souvent dangereux et toujours redoutables.

Qu'est-ce qu'un volcan ?

Les volcans sont des sortes de montagnes cracheuses de feu qui surgissent de la terre, des mers ou des îles qui parsèment les océans. Certains sont pointus, certains sont tout ronds et d'autres presque plats. La vie des volcans est souvent très longue et s'étale sur plusieurs siècles. Il existe des volcans actifs, susceptibles d'entrer en éruption à tout moment, des volcans endormis, qui peuvent se réveiller et des volcans éteints. Les volcans ont formé de nombreuses îles, montagnes et plaines de la planète. Ils ont également entraîné des changements climatiques, enseveli des villes et leurs éruptions ont fait de nombreuses victimes.

Comment se crée-t-il ? Comment fonctionne-t-il ?

Comparons la Terre à un fruit (une pêche par exemple). Avec au centre : le **noyau,** une boule de fer solide située à 6 371 km de profondeur (noyau interne), entouré d'un mélange fluide de fer et de nickel (noyau externe). Autour : l'**écorce terrestre,** qui la recouvre comme la fine peau d'un fruit. Et entre les deux, à l'intérieur : la chair, appelée **manteau,** où il fait si chaud que les roches fondent, formant une pâte brûlante et pleine de gaz que l'on appelle le **magma.** C'est la chaleur au cœur de la Terre, atteignant 3 000 °C près du noyau, qui donne au magma (roche en fusion) l'énergie nécessaire à son déplacement et qui lui permet de remonter des profondeurs de la Terre. Une partie de cette matière refroidit et se solidifie à l'intérieur de la croûte terrestre. Quand elle remonte jusqu'à la surface de notre planète, jaillissant brusquement, elle forme des volcans. Et lorsqu'elle parvient, bouillonnante, à la surface, elle prend le nom de **lave.** Toute fissure du sol par laquelle la lave, sortie des profondeurs de la Terre, parvient à se frayer un passage est donc un volcan !

Les volcans rouges, les volcans gris

Lorsque le magma remonte à la surface de la Terre, les gaz qu'il contient se dilatent et cherchent à s'échapper. Si le magma est fluide, les gaz s'échappent facilement, provoquant des éruptions modérées. La lave jaillit telle une fontaine et retombe en formant de grandes coulées rouges de chaleur qui descendent le long des flancs du cratère et qui, en refroidissant, deviennent grises ou noires. On dit de ces volcans qu'ils crachent de la lave. Ce sont les volcans rouges, ou **effusifs.**

Mais si les gaz sont pris dans un magma épais, si épais qu'il ne peut pas sortir, ils s'accumulent, prisonniers dans la cheminée. Le magma finit par exploser violemment, en projetant des fragments de roche et de pierre ponce (lave durcie) à plusieurs kilomètres de haut, ainsi que d'immenses panaches de cendres. On dit de ces volcans qu'ils crachent des bombes. Ce sont les volcans gris ou **explosifs.** Leurs retombées de cendres sont plus dévastatrices que les coulées de lave, mais elles contribuent à enrichir le sol. Poussées par le vent, elles font parfois le tour de la planète, modifiant le climat à leur gré.

Les volcans à l'origine de la vie

Il y a 4,5 milliards d'années, la surface de notre planète était recouverte de volcans en éruption. C'est leur activité qui a apporté, sous forme de gaz et de vapeur d'eau, l'oxygène que nous respirons, ainsi que l'eau des océans, des lacs et des rivières. Sans volcans, il n'y aurait pas d'êtres vivants sur Terre, affirment aujourd'hui tous les scientifiques. Sans eux aussi, notre planète exploserait. Ils permettent en effet à l'énorme pression qui règne au cœur de la Terre de s'échapper de temps en temps.

L'utilité des volcans

Si les volcans sont meurtriers parce qu'ils causent la mort d'environ 500 personnes par an, leur présence est aussi utile aux hommes (plus de 300 millions) qu'ils font vivre grâce au produit de leurs éruptions. Les cendres volcaniques, projetées régulièrement et en petite quantité rendent la terre plus fertile au pied des volcans, comme de l'engrais tombé du ciel, et les cultures y poussent deux fois plus vite qu'ailleurs. L'eau chaude, issue de l'activité volcanique en profondeur, qui jaillit en surface sous forme de geysers, de sources chaudes ou de jets de vapeur (fumerolles) a permis la création de villes thermales où les bains atti-

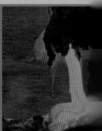

ristes. Elle est aussi pompée par s centrales géothermiques pour oduire de l'électricité et du auffage pour les maisons et les rres. Les roches volcaniques ont nombreux usages. Beaucoup nt utilisées pour la construction des routes et des bâtiments, comme le basalte et le granit. Le soufre est employé dans l'industrie pour augmenter la durée de vie du caoutchouc ou blanchir le sucre, il entre aussi dans la composition de nombreux explosifs et de certains médicaments et, mélangé à du phosphate, il sert de fertilisant. Quant aux diamants, ils se forment dans le manteau. Incrustés dans une roche volcanique, la kimberlite, ils remontent à la surface, poussés par le magma. Parce que les volcans sont utiles, les hommes habitent près des volcans. Et même, comme en Indonésie, les îles qui abritent des volcans actifs sont plus peuplées que les autres.

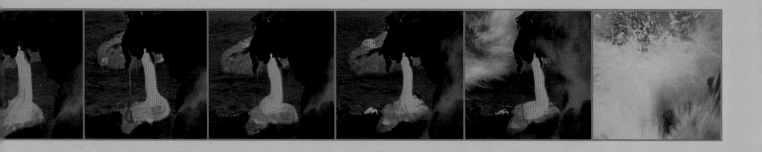

Types d'éruptions volcaniques

Hawaïenne :
Ecoulement de lave fluide donnant naissance à de larges volcans plats.

Péléenne :
Montée de lave presque solide, suivie de nuées de cendres et de gaz.

Strombolienne :
Projection de bombes et de cendres, de gaz et de scories incandescentes.

Vulcanienne :
Violentes explosions de lave visqueuse et projection de grosses bombes.

Plinienne :
Emission de scories, de gaz et de cendres très haut dans les airs.

Les coulées de lave

Une fois refroidie et durcie, la lave change de nom en fonction de son aspect.

Lave en coussins : C'est la plus commune. Elle surgit au fond des océans. Ecrasée par le poids de l'eau, elle s'épanche tranquillement en blocs arrondis, en forme de coussins.

Lave pahoehoe : Fluide et rapide, elle refroidit vite en surface mais continue de couler en formant des plis à l'aspect de cordes nouées, de drapés. (pahoehoe = "satiné" en hawaiien).

Lave aa : Atteignant parfois 100 m d'épaisseur, les coulées sont plus lentes et moins chaudes que les précédentes. Refroidies, elles sont rugueuses et coupantes. C'est parce qu'ils s'y faisaient mal en marchant dessus pieds nus que les Hawaiiens les ont appelées ainsi.

Lave blanche : L'Ol Doinyo Lengaï, en Tanzanie, est le seul volcan au monde dont la lave devient blanche en refroidissant. Cette couleur, qui donne au cratère un aspect lunaire, est due à la faible température de la lave et à sa composition unique : elle ne contient pas de silice.

Les cratères et les caldeiras

Le cratère est la "bouche" du volcan, par laquelle s'échappe la lave. Les plus simples se forment au sommet des cônes et mesurent au maximum 1 km de diamètre. Il s'en forme aussi parfois sur les flancs. Lorsque la lave ne parvient pas à s'échapper, de petits lacs bouchent la cheminée.

Les caldeiras sont de très vastes cratères issus d'une explosion ou d'une énorme éruption volcanique. La poche de magma se vide, plus rien ne soutient le poids du volcan et le cône s'effondre. Les caldeiras font souvent plus de 5 km de diamètre. Celles des volcans endormis ou éteints sont parfois occupées par de grands lacs.

Étymologie

C'est le volcan Vulcano, dans les îles Eoliennes, qui a donné son nom à tous les volcans du monde. Autrefois, les Romains croyaient que Vulcain, le dieu du Feu, avait sa forge sous l'île de Vulcano, que l'île tremblait et le feu jaillissait du volcan quand il travaillait. Les Grecs pensaient, eux, que leur dieu du Feu, Héphaïstos, vivait sous le mont Etna, en Sicile, où il fabriquait les armes des autres dieux, et que dès qu'il battait le fer, le volcan crachait des flammes.

Déjà parus

• *Aventure indienne aux confins des Guyanes*, texte et photos Pierre Dubois, 1974, Ed. Eisele, coll. Les carnets de l'exploit.

• *Guyane, Amazonie française*, texte Régis Nogara, photos Pierre Dubois, 1979, Ed. Delroisse.

• *Soudan, pays des Nouba*, texte et photos Pierre Dubois, 1980, Ed. Edita/Vilo.

• *Amazonie que j'ose aimer*, texte et photos Pierre Dubois, 1981, Ed. De l'aventure à l'exploration.

• *Moussa, enfant du Nil*, 1988, texte Eliane Dubois, dessins Laurent Alibert, Ed. L'Harmattan, coll. Grandir là-bas.

• *La Guyane aujourd'hui*, texte Bernard Ruff, photos Pierre Dubois, 1989, Ed. J.A.

• *La Guyane, des hommes en Amazonie*, texte Jean-Michel Tissot, photos Pierre Dubois, 1990, Ed. du Pélican.

• *L'Aventure du fleuve Amazone*, texte et photos Pierre Dubois, 1991, Ed. du Pélican.

• *Fanny sur le fleuve Amazone*, texte Eliane et Pierre Dubois, dessins Annie Peltier, 1993, Ed. L'Harmattan.

• *Brésil Venezuela à la folie !*, texte et photos Pierre et Eliane Dubois, 1998, Ed. Créations du Pélican/Vilo.

• *Amazone l'odyssée sauvage*, texte et photos Pierre et Eliane Dubois, 2003, Ed. Anako.

Haroun Tazieff. Katia et Maurice Krafft.

Remerciements

A Vivianne Clavel pour les photos de l'éruption à Hawaii du volcan Pu'u O'o en 1990, ainsi qu'à Pascale Béroujon, Gérald Favre, Jean-Michel Renault et Michel Vaucher pour les photos complémentaires.

Une pensée particulière pour Maurice et Katia Krafft, confrères et amis de conférences à Connaissance du Monde, ainsi qu'à Haroun Tazieff, des volcanologues qui ont su nous transmettre leur passion.